Sahir va chez le dentiste

Sahir Goes to the Dentist

by Chris Petty

French translation by Annie Arnold

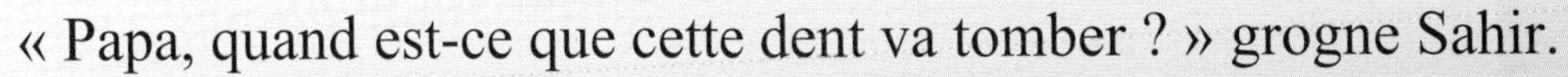

« Papa, quand est-ce que cette dent va tomber ? » grogne Sahir.
« Quand elle sera prête, » répondit Papa.
« Oh ! Ça fait longtemps, » a soupiré Sahir.

"Dad, when will this tooth come out?" groaned Sahir.
"When it's ready," replied Dad.
"Aww! It's been ages," sighed Sahir.

Il n’a pas eu longtemps à attendre. Comme il mordait dans son sandwich, sa dent est tombée.
« Eh ! Papa, je lui ressemble maintenant, » a dit Sahir fièrement.
« Bon, au moins ***tu*** auras une nouvelle dent, » a dit Papa, avec un sourire.

He didn’t have to wait long. Just as he bit into his sandwich, out came his tooth.
"Hey Dad, I look just like him now," said Sahir proudly.
"Well at least ***you*** will grow a new tooth," said Dad, with a smile.

« Nous devrions aller chez le dentiste pour s'assurer que tes nouvelles dents sont bien en train de sortir, » a dit Papa et il a téléphoné au dentiste pour prendre rendez-vous.

"We should go to the dentist to make sure your new teeth are coming through OK," said Dad and he phoned the dentist for an appointment.

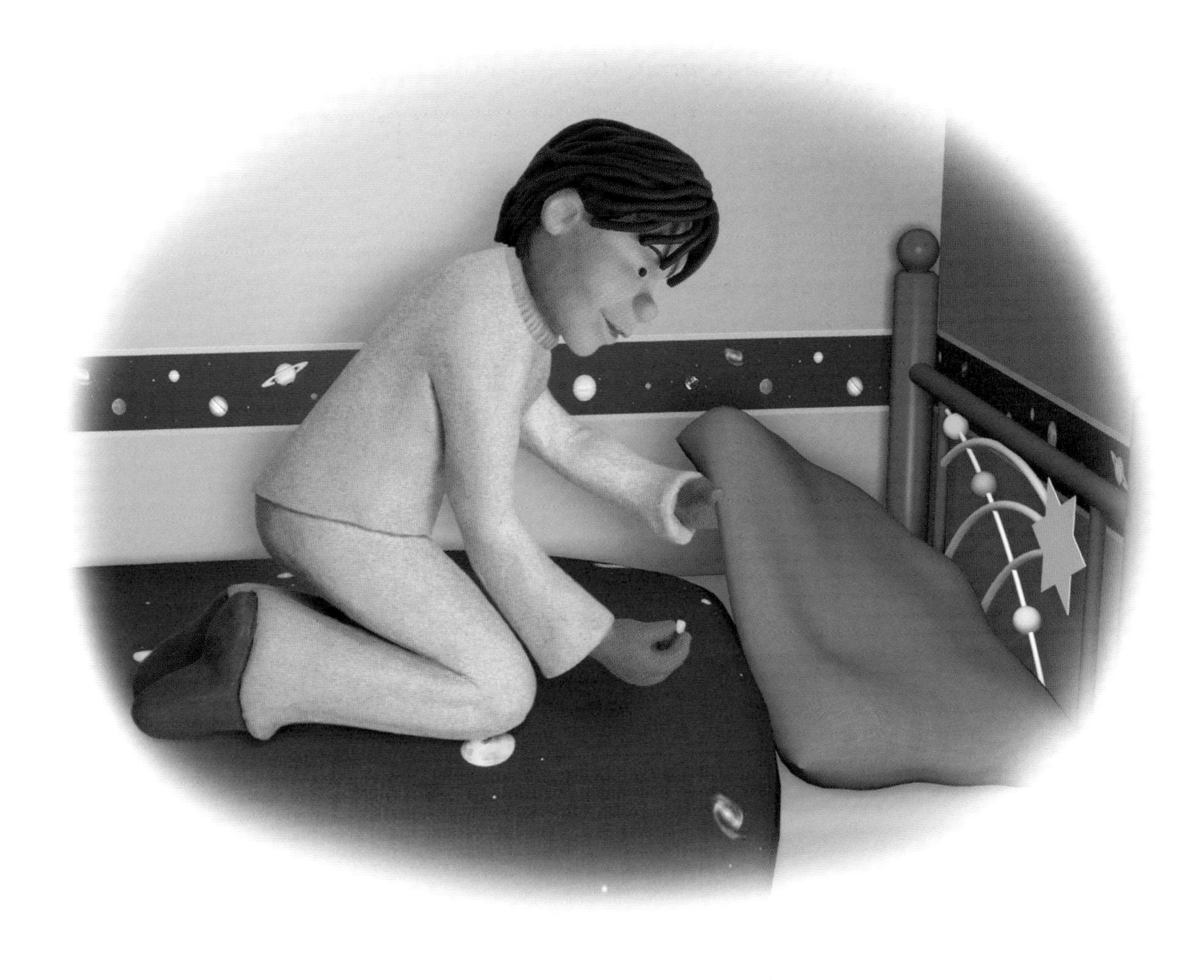

Au coucher Sahir a mis sa dent sous l’oreiller.

At bedtime Sahir put his tooth under the pillow.

Le lendemain, il a trouvé une pièce brillante. « Devine quoi ? La petite souris est passée, » cria Sahir. « Est-ce que tu peux garder ça, Papa ? »

The next morning he found a shiny coin. "Guess what? The tooth fairy came," Sahir shouted. "Can you look after this, Dad?"

« Je vais acheter une grosse barre de chocolat, » dit-il.

"I'm going to buy a big bar of chocolate," he said.

Le lendemain, Sahir, Yasmin et Papa sont tous allés chez le dentiste.

The next day Sahir, Yasmin and Dad all went to the dentist.

Ils se sont assis dans la salle d’attente
jusqu’à ce que le dentiste soit prêt.

They sat in the waiting-room until
the dentist was ready.

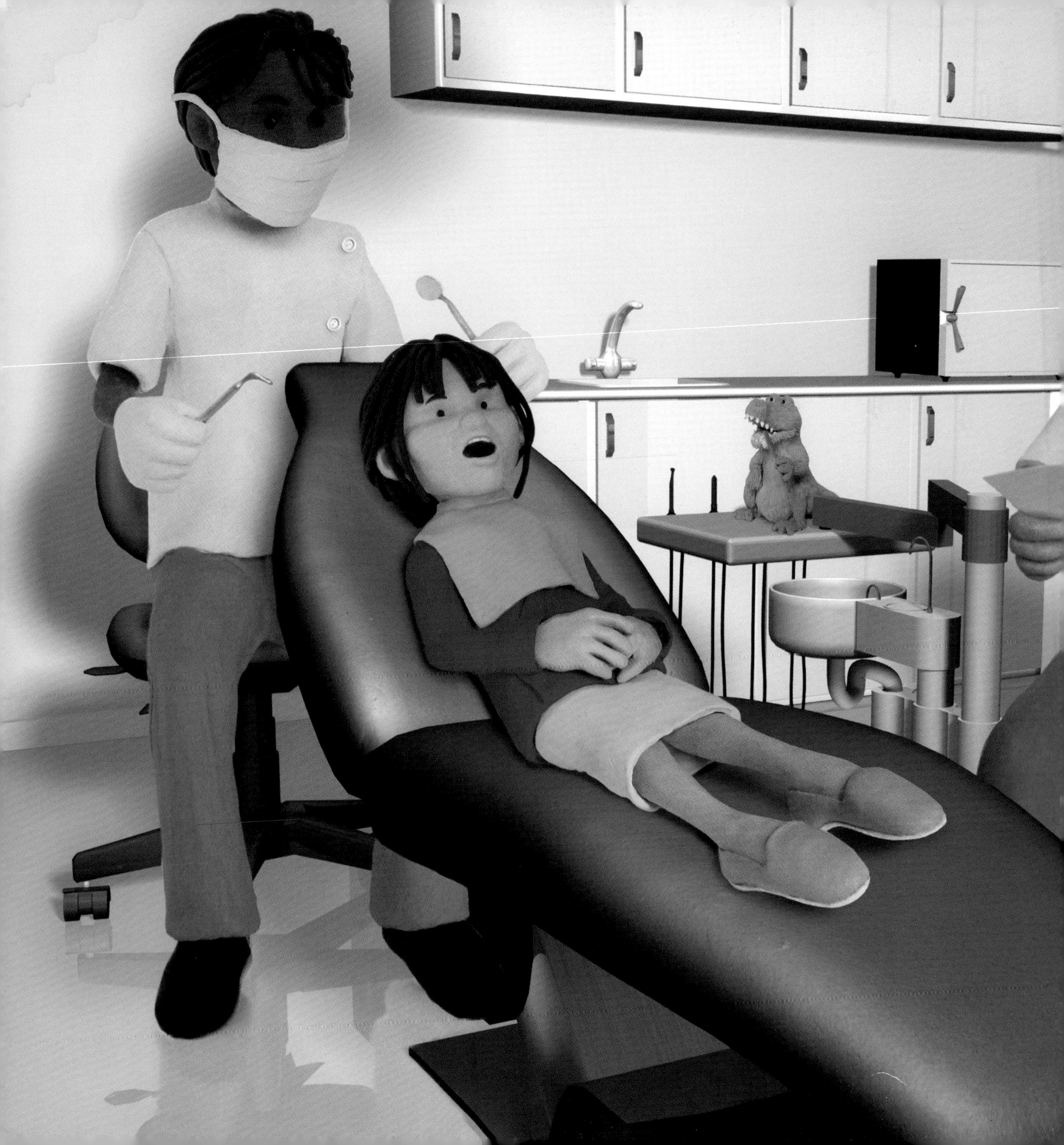

En premier, c’était le tour de Yasmin.
Le dentiste a mis des gants et un masque.
Il a pris un petit miroir pour examiner
ses dents.
Il inclina la chaise en arrière et vérifia
ses dents pendant que l’infirmière
prenait des notes.

It was Yasmin’s turn first. The dentist put
on gloves and a mask. He picked up a small
mirror to examine her teeth.
He tilted the chair backwards and checked
her teeth while the nurse took notes.

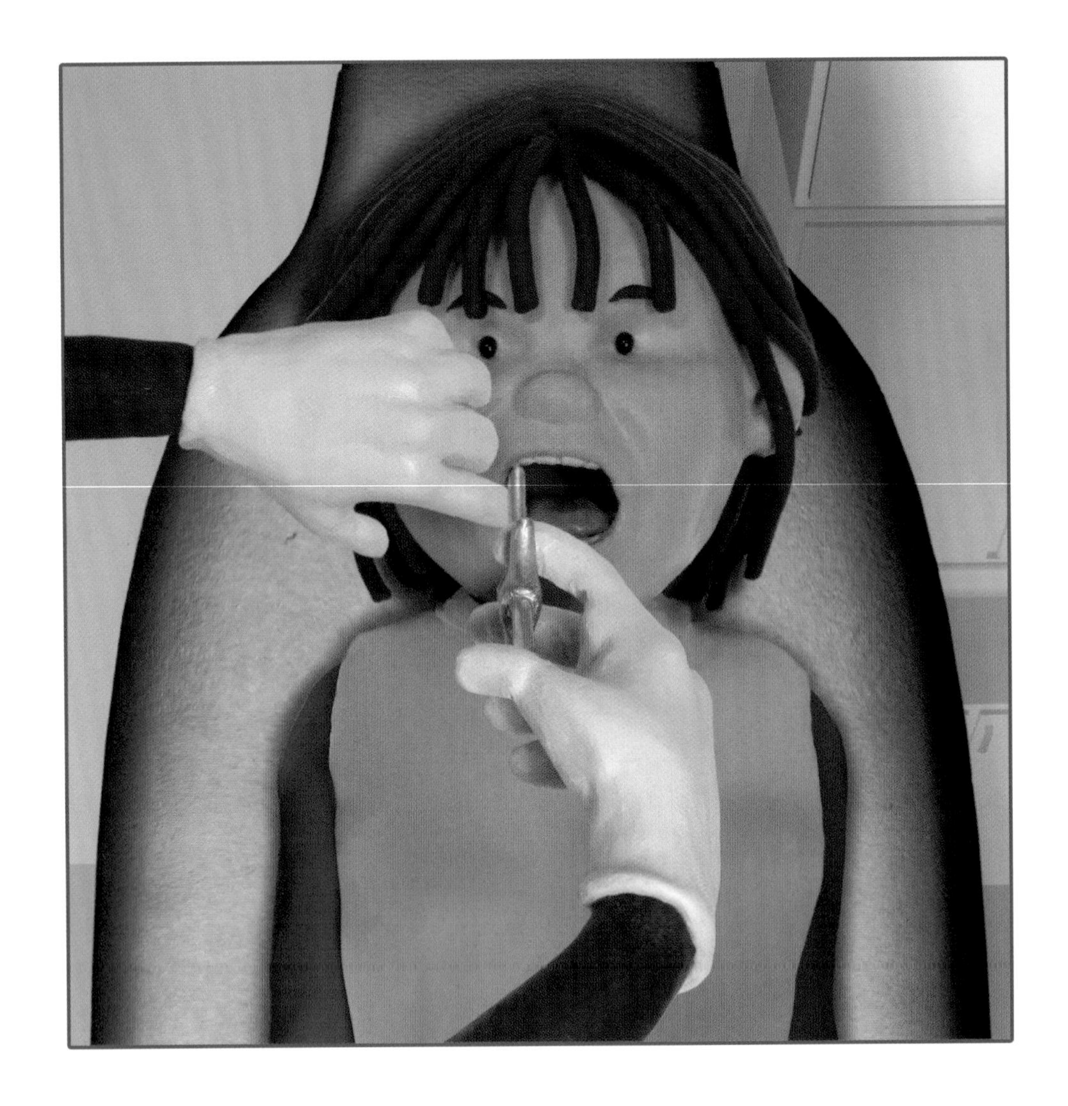

Le dentiste remarqua un trou dans une des dents arrière de Yasmin. « Nous devons mettre un petit plombage là-dedans, » dit-il. « Je vais te faire une piqûre pour engourdir ta gencive pour que tu n'aies pas mal. »

The dentist noticed a hole in one of Yasmin's back teeth. "We'll need to put a small filling in there," he said. "I'm going to give you an injection to numb your gum so that it won't hurt."

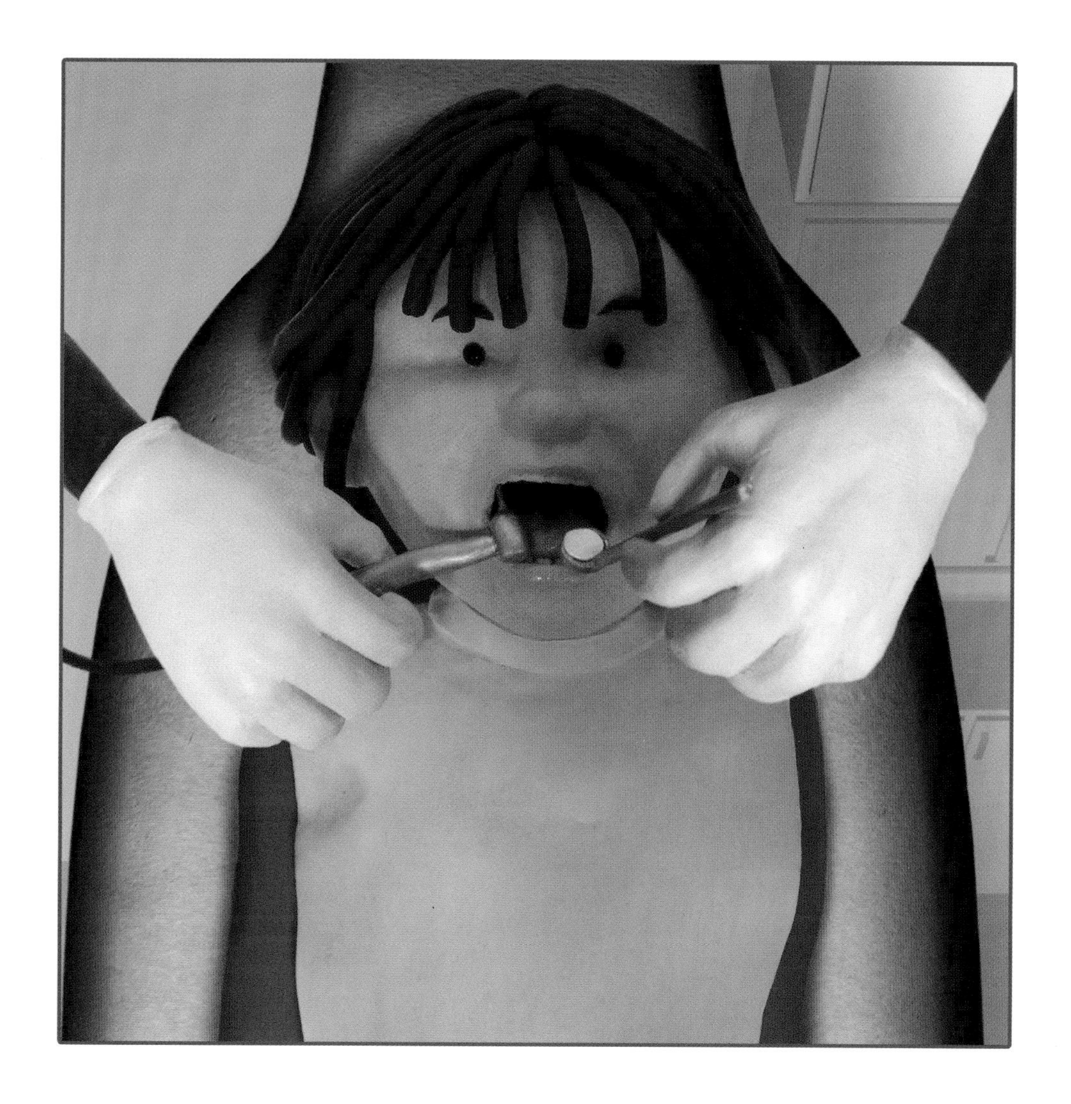

Ensuite le dentiste retira la partie abîmée de la dent avec la roulette.

Then the dentist removed the bad part of the tooth with his drill.

L'infirmière garda la bouche de Yasmin sèche en utilisant un tuyau d'aspiration. Ça faisait un gros bruit de gargouillis.

The nurse kept Yasmin's mouth dry using a suction tube. It made a noisy gurgling sound.

L'infirmière a mélangé une pâte spéciale et l'a donnée au dentiste.

The nurse mixed up a special paste and gave it to the dentist.

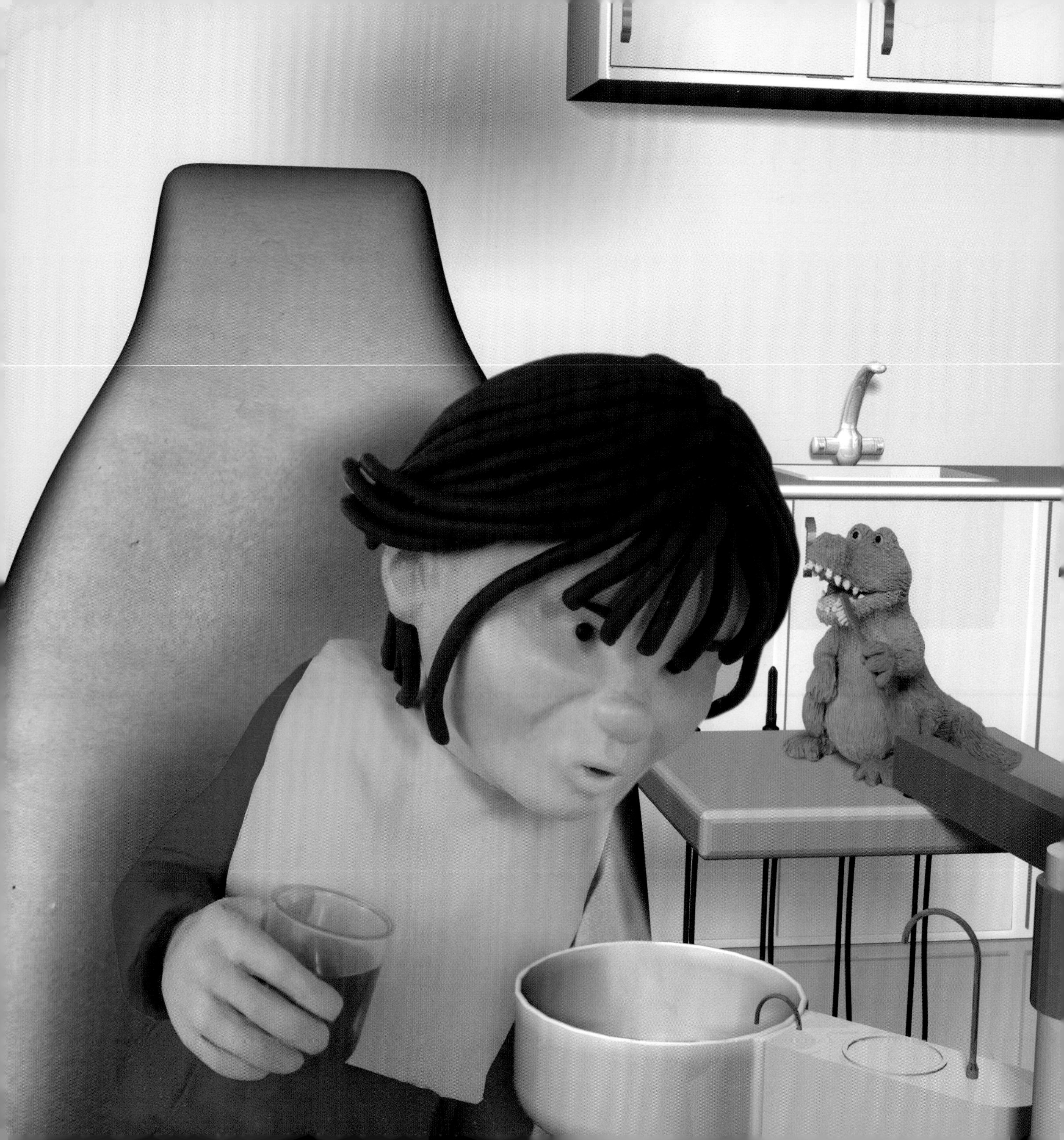

Le dentiste a rempli le trou avec soin. « Et voilà, fini, » dit-il. Yasmin s'est rincé la bouche et a craché dans une bassine spéciale.

avant le plombage

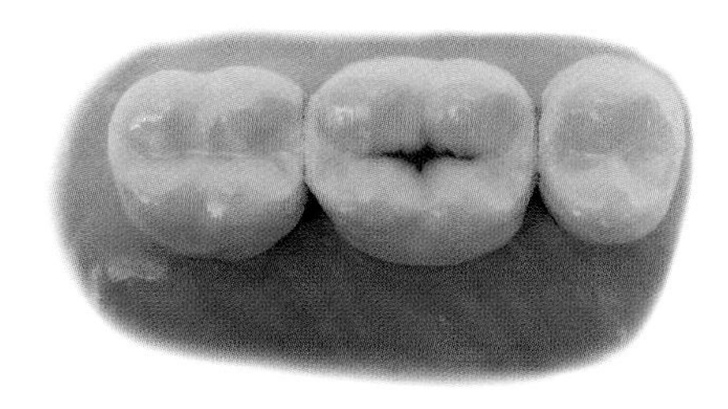

before filling

après le plombage

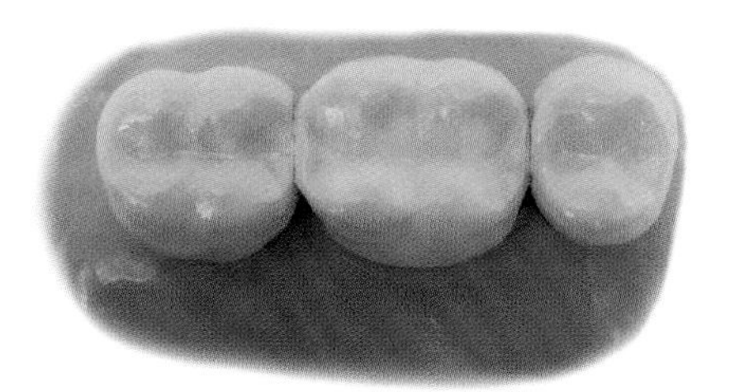

after filling

The dentist carefully filled the hole. "There you are, all done," he said. Yasmin rinsed out her mouth and spat into a special basin.

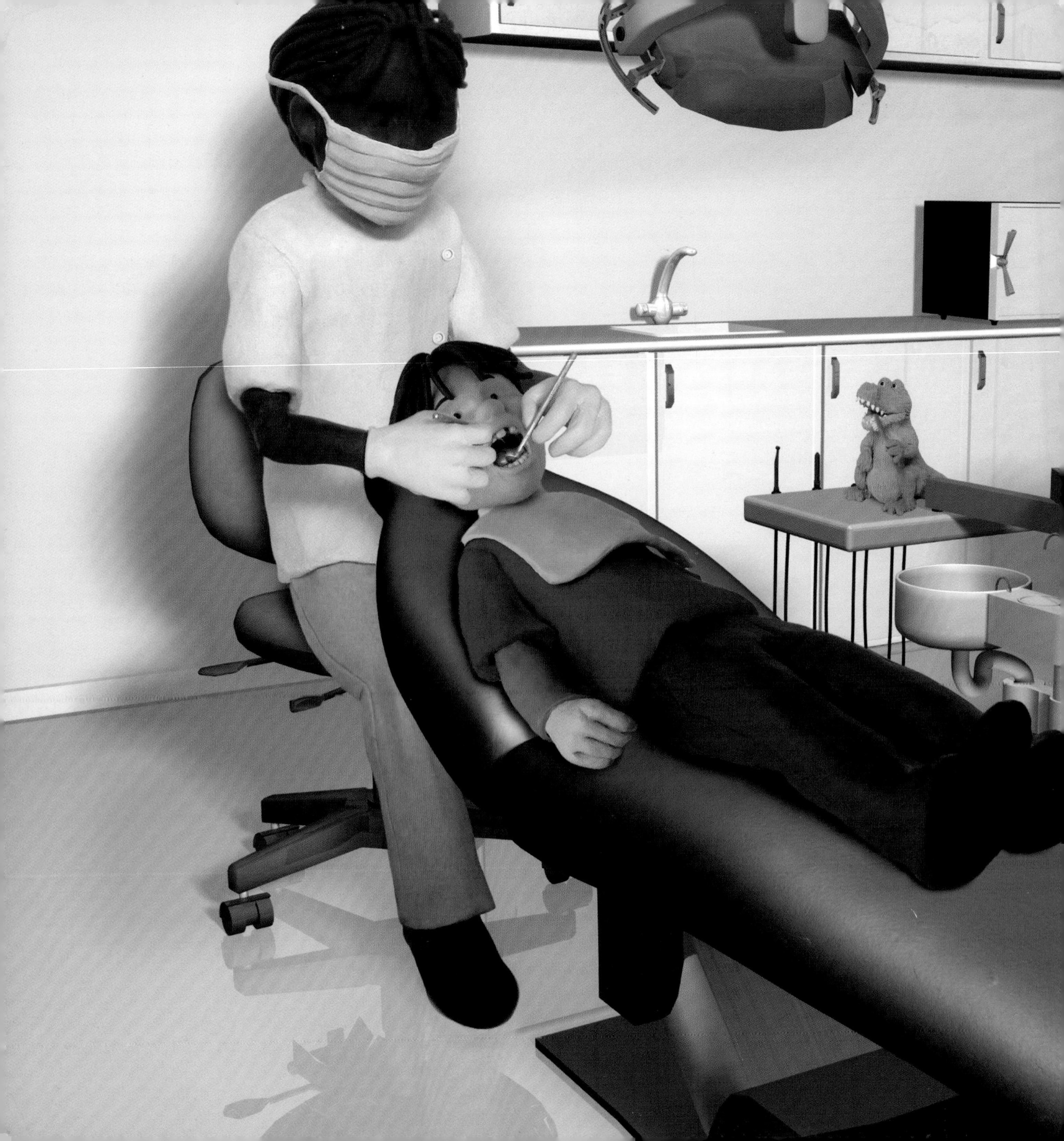

Ensuite, c’était le tour de Sahir.
Le dentiste a examiné les dents
de Sahir.
« Bien. Je ne vois pas de trou, »
dit-il. « Mais je vois que tu as de
nouvelles dents qui sortent. »

It was Sahir’s turn next.
The dentist examined Sahir’s teeth.
“Good. I can’t see any holes,” he said.
“But I see you have new teeth coming
through.”

« Nous allons faire un modèle de tes dents afin de voir plus clairement comment tes dents sortent. Voici un modèle fait pour une petite fille. »

"We will make a model of your teeth so we can see more clearly how your teeth are coming through. Here's a model we made for a young girl."

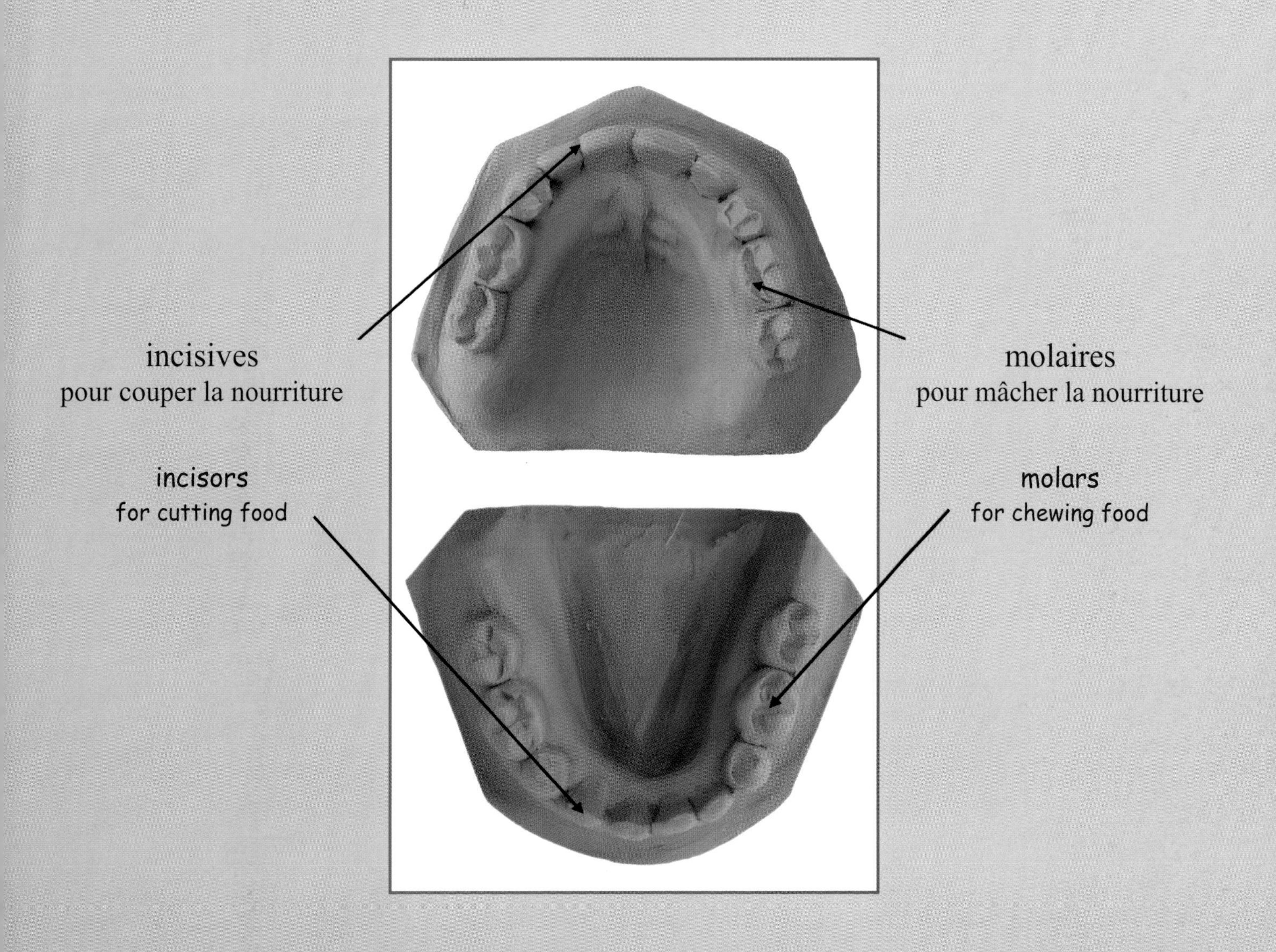

« Ouvre grand, » dit-il, et mit un petit plateau rempli de pâte colorée gluante sur les dents du haut de Sahir. « Maintenant mord dessus fort pour que ça prenne. » Puis il l'a retiré de la bouche de Sahir.

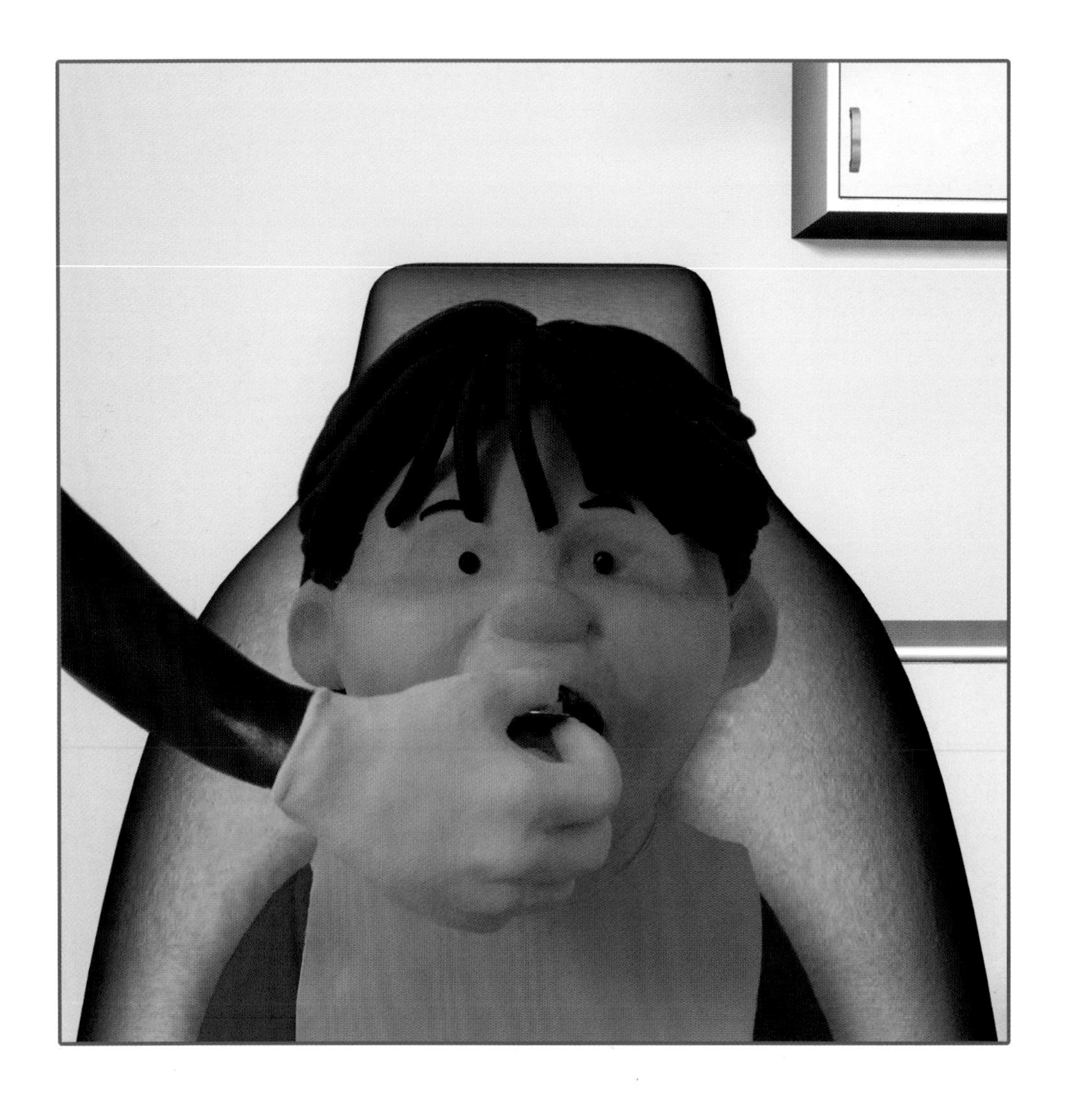

"Open wide," he said, and put a small tray filled with a gooey coloured dough over Sahir's top teeth. "Now bite down hard so that it sets." Then he removed it from Sahir's mouth.

Le dentiste montra à Sahir le moule fini. « Nous l’envoyons à un laboratoire où ils mettent du plâtre dedans pour faire le modèle, » dit le dentiste.

The dentist showed Sahir the finished mould. "We send this to a laboratory where they pour in plaster to make the model," said the dentist.

Ensuite Yasmin et Sahir sont allés voir l'hygiéniste.
« Montre-moi comment tu te brosses les dents, » dit-elle, donnant à Sahir une brosse à dents.

Next Yasmin and Sahir went to see the hygienist.
"Let's see how you brush your teeth," she said, handing Sahir a toothbrush.

Quand Sahir eut fini, l’hygiéniste lui donna une tablette rose à mâcher.
« Tous les endroits que tu auras manqués avec ta brosse à dents apparaîtront comme des taches rose foncé sur tes dents. »

When Sahir had finished, the hygienist gave him a pink tablet to chew.
"All the places you missed with your toothbrush will show up as dark pink patches on your teeth."

Elle montra aux enfants la bonne manière de se brosser les dents sur une dentition géante.
« Ouah, elles sont aussi grandes que les dents des dinosaures, » haleta Sahir.

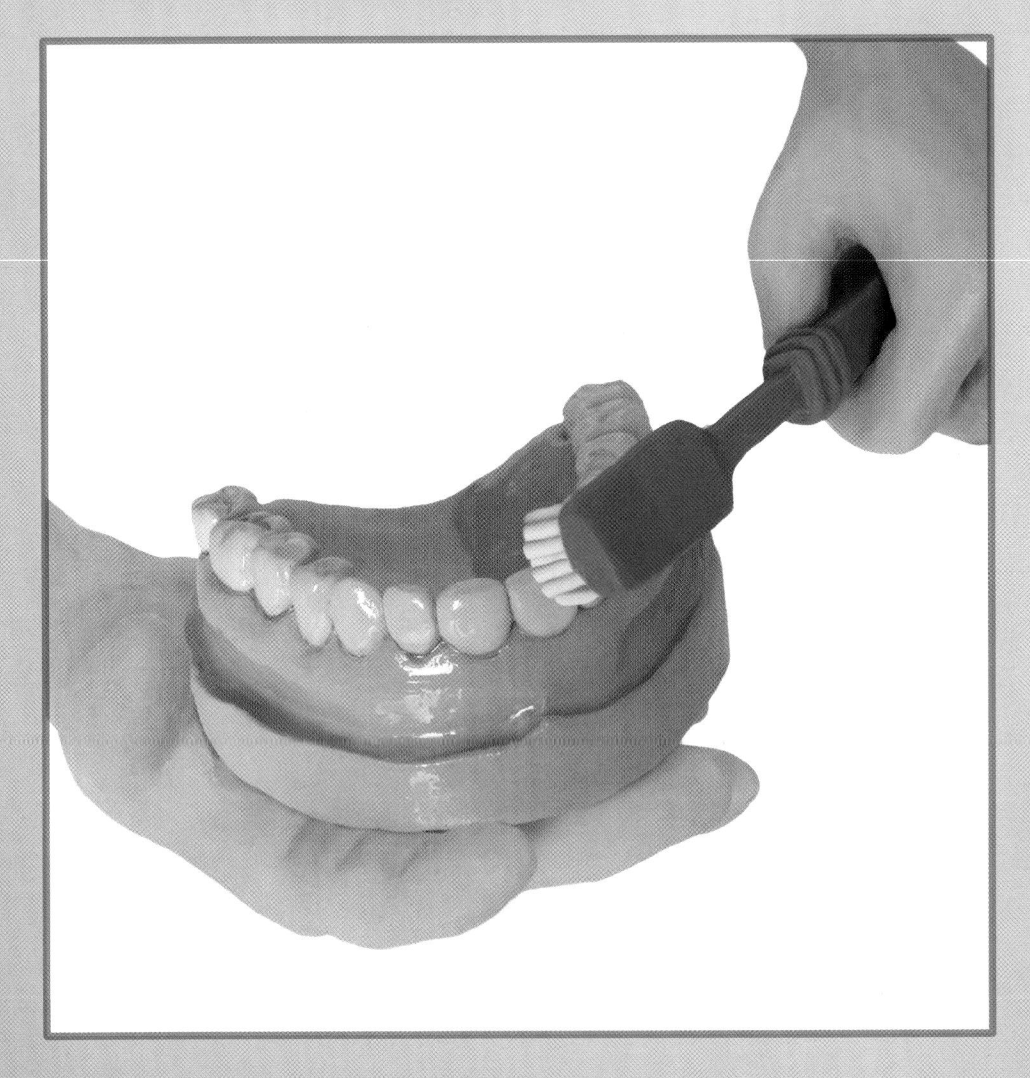

She showed the children the proper way to brush on a giant set of teeth.
"Wow, they're as big as dinosaurs' teeth," gasped Sahir.

« Vous devez brosser vos dents de haut en bas. Puis brosser chaque côté du devant à l'arrière, » dit l'hygiéniste.

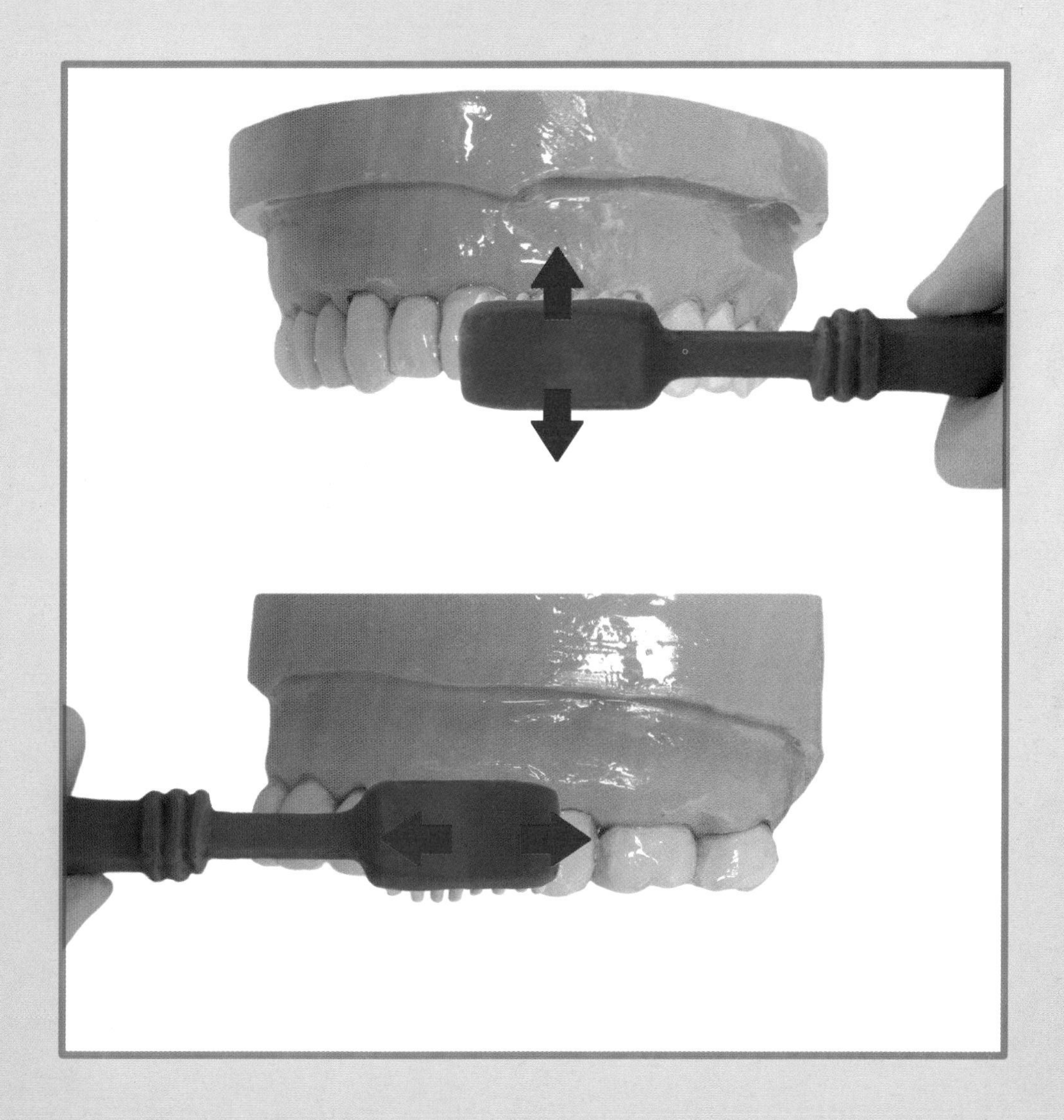

"You need to brush your teeth up and down. Then brush each side from front to back," the hygienist said.

Elle montra un poster aux enfants. « Ces mauvaises petites créatures s'appellent des bactéries et attaquent nos dents, » dit l'hygiéniste. « Elles avalent le sucre et produisent de l'acide, » dit-elle. « Ça peut faire des trous dans vos dents. »
« Beurk ! » dit Sahir.

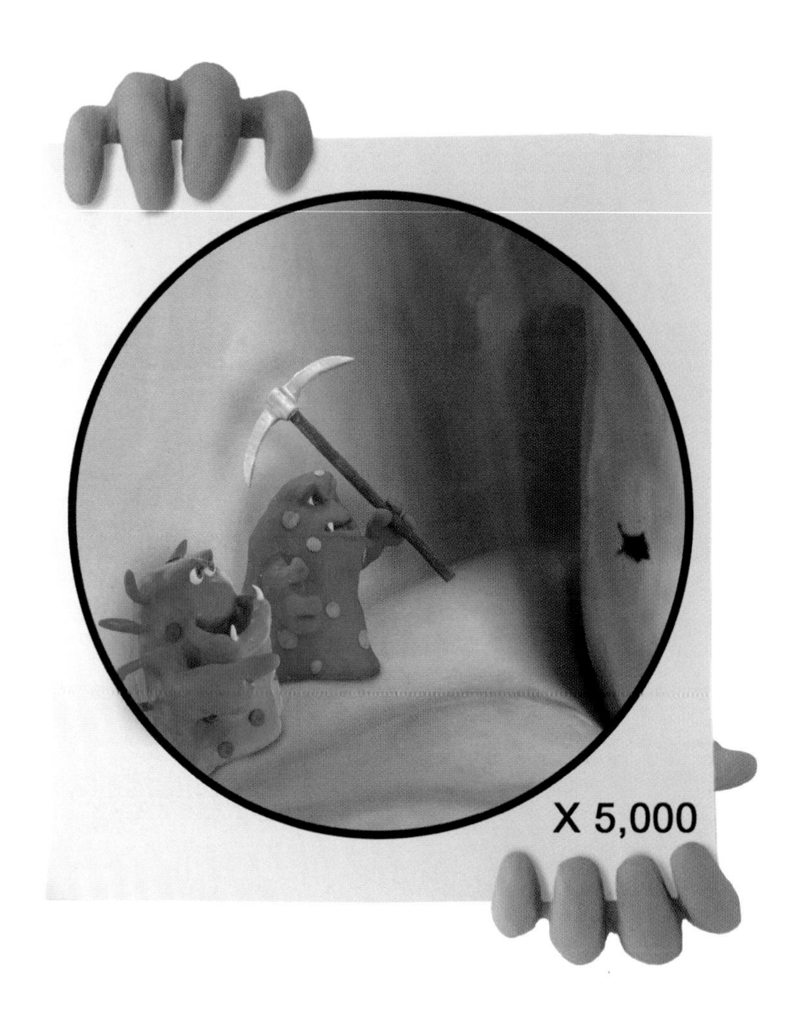

She showed the children a poster. "These tiny bad guys are called bacteria and attack our teeth," said the hygienist. "They gobble up sugar and produce acid," she said. "This can make holes in your teeth."
"Yuck!" said Sahir.

« Elles habitent dans une couche collante qui recouvre nos dents qui s'appelle la plaque dentaire. Ce qui s'est montré rose sur tes dents. Les mauvaises bactéries adorent la nourriture sucrée et collante, » dit l'hygiéniste.

"They live in a sticky layer covering our teeth called plaque. This was shown up as pink on your teeth. The bad bacteria love sweet sticky foods," said the hygienist.

« Alors essayez de manger moins de sucre, » dit l'hygiéniste.

"So try and eat less sugar," said the hygienist.

Elle leur donna à chacun un autocollant. « Ça c'est pour avoir été si gentil. Et si vous vous occupez de vos dents comme je vous ai montré, vos dents seront toujours saines. »

She gave them both a sticker. "This is for being so good. And if you look after your teeth, like I've shown you, your teeth will always be healthy."

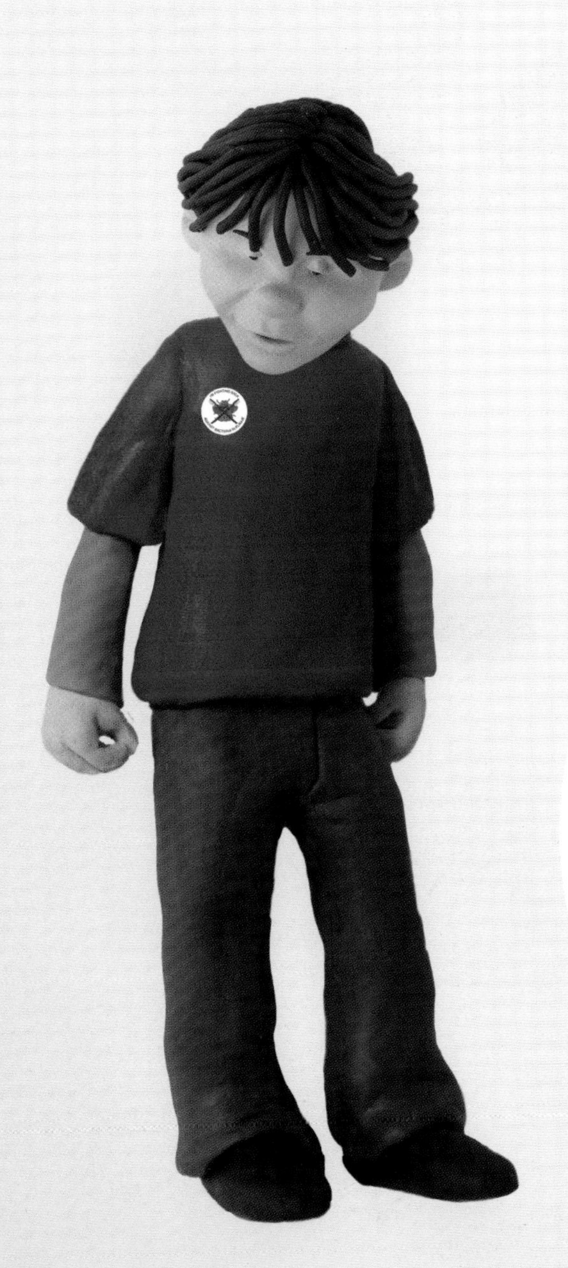

Comme ils quittaient le cabinet, Sahir demanda à Papa l'argent que la petite souris lui avait donné.
« Ah, » dit Papa. « Tu veux acheter cette grosse barre de chocolat. »
« Sûrement pas Papa ! » dit Sahir. « Je veux acheter … une nouvelle brosse à dents ! »

As they left the surgery, Sahir asked Dad for the money the tooth fairy gave him.
"Ahh," said Dad. "You want to buy that big bar of chocolate."
"No way Dad!" said Sahir. "I want to buy... a brand new toothbrush!"